BARBARA PARK

Junie B. en primer grado
¡BUU! y más que ¡BUU!

ilustrado por Denise Brunkus

SCHOLASTIC INC.
New York Toronto London Auckland Sydney
Mexico City New Delhi Hong Kong Buenos Aires

A "Jodi B." Reamer, que es, sin duda, la hermana mayor de Junie B. en un universo paralelo. Gracias por tu amistad, tus consejos y, sobre todo, tu risa.

Originally published in English as *Junie B., First Grader: BOO . . . and I MEAN IT!*
Translated by Aurora Hernandez.

ISBN 0-439-86118-7

12 11 10 9 8 7 6 5 4 3   10 11/0

Printed in the U.S.A.   40
First Spanish printing, September 2006

NOTA DEL EDITOR: Al igual que en la versión original en inglés, los errores gramaticales y de uso de algunas palabras que aparecen en el libro son intencionales y ayudan al lector a identificarse con el personaje.

Contenido

1

Secretos

Viernes

Querido diario de primer grado:

Mi papá está de ~~viage~~ viaje de negocios. Tiene ~~entrebistas~~ entrevistas de trabajo.

Las ~~entrebistas~~ entrevistas de trabajo es cuando te pones un traje y una corbata. Y suplicas a la gente que te dé un trabajo.

Ojalá que papá no tuviera ~~entrebistas~~ entrevistas justo ahora.

1

¡Porque mañana es HALLOWEEN!

¡Y esa fiesta tonta me da miedo!

De,

La miedosa Junie B.

de primer grado

P.D. No le he dicho a nadie que me da miedo halloween porque probablemente se reirían de mí.

Así son los niños.

Puse mi lápiz en la mesa y pensé un poco más en Halloween.

Entonces se me puso la carne de gallina.

Porque el año pasado, un niño que se llama Paulie Allen Puffer me contó cinco historias de miedo sobre ese día. Y dijo que no se las podía contar a nadie. Porque si lo hacía, una bruja me convertiría la cabeza en una verruga.

Yo puse cara de asco. Y traté de no pensar en eso.

Solo que ¿cómo vas a dejar de pensar en eso cuando estás tratando de no pensar en eso?

Di unos golpecitos con los dedos muy frustrada.

Entonces, de repente, vi mi diario en la mesa. Y se me ocurrió una buena idea. Porque a veces, cuando escribes tus problemas en un diario te sientes mejor.

Eso lo oí en el canal de ventas de la televisión. Estaban vendiendo diarios. Creo.

Abrí las páginas superrápido. Y empecé a escribir.

3

5 secretos que dan miedo
que me contó Paulie Allen Puffer,
por Junie B. Jones

(1.) Los monstruos y las brujas de
verdad salen en halloween para pedir
caramelos. Solo que no llevan
~~disfrases~~ disfraces porque ya están disfrazados.
   ¡PERO NO LO ESTÁN! ¡LLEVAN
SU CARA Y SU ROPA DE VERDAD!
(2.) No le hagas dientes afilados
y puntiagudos a tu calabaza. Si lo
haces, irá a tu cuarto cuando estés
durmiendo y te comerá los pies.
(3.) A los murciélagos les gusta
aterrizar y vivir en tu pelo.

4

4.) Los gatos negros de las brujas pueden arañarte y despedazarte en tiras.

5.) Los caramelos de fresa no son de fresas de verdad.

Volví a dejar mi lápiz en la mesa. Y leí los secretos.

El que más me sorprendió fue el de los caramelos de fresa. Te lo aseguro.

Escribir los secretos no me ayudó.

Puse la cabeza en la mesa. Y me tapé con los brazos.

Justo entonces, oí la voz de mi maestro. Se llama Sr. Susto.

Ese es un buen nombre para Halloween. Creo. Solo que él lo usa todo el año.

Dijo que por favor sacáramos los libros de aritmética.

Yo seguí tapada.

Porque ¿cómo voy a hacer aritmética cuando tengo secretos que dan miedo en la cabeza?

Todos los del Salón Uno sacaron sus libros.

Yo agarré la sudadera que tenía en el respaldo de mi asiento. Y me la puse cerca de las orejas.

Las sudaderas ayudan a tapar los ruidos de la clase.

Muy pronto volví a oír a mi maestro.

—Junie B, ¿estás bien? —preguntó.

Solo que antes de que pudiera contestar, una niña chismosa que se llama May empezó a chismosear.

—¡No, Sr. Susto! Junie Jones no está

nada bien —dijo—. Junie Jones no está prestando atención.

Pensó durante un segundo.

—Y además, últimamente Junie Jones ha estado haciendo otras cosas malas —dijo—. Como ayer, que se comió la mitad de su sándwich durante la hora de la lectura en silencio. Solo que yo no lo pude chismear. Porque usted me dijo que si seguía siendo tan chismosa mandaría una nota a mi casa. Pero menos mal que por fin vuelve a razonar hoy.

Después de eso, el Salón Uno se quedó en silencio. Y el Sr. Susto no dijo ni una palabra.

Me puse a temblar.

Debía de estar pensando en el castigo que me iba a poner. Creo.

Al final, levanté la cabeza. Y lo miré con un ojo.

Estaba en su escritorio escribiendo una nota.

Creo que era para mi mamá.

Empecé a esconder otra vez mi ojo.

Pero en ese momento, el Sr. Susto se levantó muy calmado.

Y vino hasta el final del salón.

Y le dio la nota a May.

¡No podía creer lo que veía mi ojo!

—Por favor, lleva esta nota a tus padres —le dijo.

La boca de May se abrió hasta atrás al oír esas noticias.

—¡No, Sr. Susto! ¡No, no, no! ¡Por favor, no me haga llevar esa nota! ¡Por fa! ¡Por fa! ¡Por fa! ¡No estaba siendo chismosa! ¡Se lo prometo! Solo estaba diciendo que me alegro que hoy vuelva a razonar. Eso es todo.

El Sr. Susto sonrió.

—Gracias, May. Eres muy amable —dijo.

Entonces se agachó hasta ella. Y le metió la nota en la mochila.

Yo me acerqué y le di un golpecito.

—Esa nota la tenía que haber mandado hace tiempo —dije.

El Sr. Susto se mordió los cachetes.

—Por favor, siéntate, Junie B. —dijo.

Su voz no sonaba muy contenta.

—Ahora —dijo.

Me senté superrápido.

—Muy bien, ya estoy sentada. ¿Me ve, Sr. Susto? —dije—. Y también voy a sacar mi libro de aritmética. Creo.

Lo encontré en mi mochila.

—¡Yupi! Aquí está. Tengo mi libro. Así que ahora voy a hacer los problemas —dije.

El Sr. Susto siguió sin moverse.

Yo miré hacia arriba.

—Está bieeeeen. Ya puede volver a su sitio —dije.

Siguió sin moverse.

Yo lo saludé con la mano.

—Hasta luego —dije.

El Sr. Susto se agachó hasta mí. Y me habló muy serio en la oreja.

—Tienes que prestar atención en clase, Junie B. —dijo—. No debería decírtelo.

Suspiré.

Entonces me acerqué y le susurré en secreto.

—Ya lo sé, solo que hoy tengo algo dándome vueltas en la cabeza —le expliqué—. Porque Halloween es mañana y me da miedo.

Justo entonces, las orejas de May se levantaron.

Esa chica tiene oídos de rayos X. Te lo aseguro.

—¡Oigan todos! ¡A Junie Jones le da miedo Halloween! —gritó—. ¡Lo acabo de oír! ¡Junie Jones es una bebita miedosa que siente miedo de Halloween!

Todos los del Salón Uno se dieron la vuelta para mirarme.

—¿De verdad? —dijo mi *supermejor* amigo que se llama Herbert—. ¿Te da miedo Halloween, Junie B.? No lo sabía.

—Yo tampoco lo sabía —dijo Shirley—. ¿Por qué te da miedo Halloween?

En ese momento, un niño que se llama Sheldon se subió a su mesa. Y habló muy fuerte.

—Pues a mí no me da miedo Halloween. ¡Te lo aseguro! —dijo.

Se quedó ahí un segundo.

Luego, arrugó la frente.

—Solo que el año pasado, Daniel Delmonte se vistió de Mr. Potato Head. Y salió de un matorral para asustarme. Y tuve que soltar mi bolsa y salir corriendo.

Todos los del Salón Uno se rieron.

Sheldon arrugó más la frente.

—Eso no fue divertido —dijo—. Tuve que empezar a pedir caramelos de nuevo.

May miró hacia el techo.

—¿Y a quién le importa, Sheldon? —dijo—. ¡La cosa es que a Junie Jones le da miedo Halloween este año! Y por eso es una miedosa.

Se acercó hacia mí desde el pasillo.

—Bebé se escribe B-E-B-E —dijo.

Yo crucé los brazos.

—¿Ah, sí? Pues chismosa se escribe C-H-I-Z-M-O-S-A —le contesté.

El Sr. Susto me miró.

Dijo que no con la cabeza.

Yo pensé un segundo.

Y lo volví a intentar.

—Se escribe C-H-I-S-M-O-Z-A.

El Sr. Susto hizo una mueca.

Di unos golpecitos en la mesa con los dedos.

Entonces volví a intentarlo.

—¿Se escribe C-H-I-Z-M-O-Z-A?

El Sr. Susto cerró los ojos.

Volví a poner la cabeza en la mesa.

Y él me tapó con mi sudadera.

Yo se lo agradecí mucho.

2

Caramelos de fresa

Esa tarde cuando me bajé del autobús, salí zumbando a mi casa. Y entré por la puerta tan rápida como un rayo.

—¡CHISMOSA! ¡CHISMOSA SE ESCRIBE C-H-I-S-M-O-S-A! —grité.

Después de eso formé una oración completa con esa palabra.

—CHISMOSA... ¡MAY ES UNA CHISMOSA ASQUEROSA!

Oí la voz de mi abuela.

—¿Junie B., cariño? ¿Eres tú? —dijo—. ¡Estoy en el cuarto de Ollie!

15

Me puse las manos en la boca como un altavoz.

—¡MUY BIEN! —grité otra vez—. ¡ALLÁ VOY!

Después de eso, fui superrápido. Y abracé a mi abuela muy fuerte.

—¿Has oído lo bien que deletreo chismosa? —le dije—. Hoy busqué esa palabra en el diccionario. Porque hoy May dijo chismes de mí.

La abuela Miller estaba cambiándole la ropa a Ollie. Movió la cabeza al oír esas noticias.

—Ay, Dios mío, más problemas con May —dijo—. Francamente, Junie B., tienes que ignorar a esa niña.

Yo crucé los brazos.

—Ya, solo que ¿cómo voy a ignorarla si me llama bebita miedosa? —le dije—. ¡Abuela, ella le dijo a todos los niños que me daba miedo Halloween! Y lo que pasa es que si May supiera todo lo que yo sé de Halloween, ella también tendría miedo.

La abuela me miró con curiosidad.

—¿De qué hablas? —dijo—. ¿Qué es lo que tú sabes?

Tragué con fuerza. Luego hablé muy bajito.

—Sé cinco secretos que dan mucho miedo… eso es lo que sé —dije—. Solo que no se los puedo contar a nadie. Porque si lo hago, mi cabeza se convertirá en una verruga.

Se me puso la carne de gallina.

—Paulie Allen Puffer me los dijo —susurré más bajito todavía.

La abuela Miller juntó las cejas.

—¿Paulie Allen Puffer? —preguntó—. ¿No es ese el que te dijo que debajo de tu cama vivía un monstruo?

Yo asentí con la cabeza.

—Sí. Ese mismo es Paulie Allen Puffer —dije—. Sabe mucho de cosas que dan miedo, abuela. Porque Paulie Allen Puffer tiene un hermano que está en octavo. Y cuando estás en octavo eres casi tan mayor como un mayor.

La abuela sonrió un poquito. Entonces terminó de abrochar el suéter de Ollie. Y lo puso en el suelo para que caminara hasta mí.

Ollie no sabe caminar bien.

Se tropieza y se tambalea y hace hueeeeei y huaaaaai.

Se cayó en mi pie.

Entonces me tocó el zapato. Y dijo
la palabra muuu.

Muuu es su palabra favorita.

No es que sea el pollo más listo del
corral.

La abuela se agachó para levan-
tarlo.

Yo le toqué su suave pelo blanco.

A los murciélagos les encantaría su pelo. Creo.

—Abuela, si yo fuera tú, no saldría a la calle el día de Halloween —dije—. Desde luego, no con ese pelo.

La abuela Miller frunció el ceño. Entonces se esponjó su pelo un poco.

—¿Por qué? ¿Qué le pasa a mi pelo? —preguntó—. ¿No te gusta?

Me cerré los labios con llave. Porque creo que ya había dicho demasiado.

La abuela Miller se esponjó más el pelo.

—Hablando de Halloween, hoy tu mamá va a venir temprano del trabajo. Quiere llevarte a comprar el disfraz.

Justo entonces, se me puso más la carne de gallina.

Empecé a salir del cuarto de Ollie caminando hacia atrás, muy despacio.

—Ya, solo que puede que hoy no quiera ir a comprar mi disfraz —dije—. A lo mejor quiero ir mañana... o al día siguiente... o a lo mejor nunca.

Seguí dando marcha atrás.

—En fin, que creo que me voy a ir a dormir una siesta, abuela. Así que cuando llegue mamá, por favor dile que no me moleste.

Hice una reverencia.

—Gracias y buenas noches —dije.

Después de eso, me di la vuelta y salí corriendo a mi cuarto. Y cerré la puerta.

Un segundo más tarde, la abrí un *poquirritín*.

—Y no te olvides de lo que te dije —grité—. No salgas con ese pelo el día de Halloween. ¡Porque eso sería buscar problemas, Helen!

La abuela Miller me gritó de vuelta.

Me dijo que por favor no la llamara Helen.

Volví a cerrar mi puerta.

Entonces, agarré mi muñeco favorito de peluche que se llama Felipe Juan Bob. Y me metí corriendo en la cama.

Felipe hizo como si roncara.

Le di unos golpecitos.

—Lo que pasa es que mamá todavía no está en casa, Felipe —le expliqué—. Además, tengo que contarte los cinco secretos que dan miedo. Porque no se los puedo contar a la gente de verdad. Pero creo que tú no cuentas. Porque tus orejas en realidad no son de verdad.

Felipe Juan Bob se tocó las orejas con la pata.

"¿De verdad? ¿En serio? —preguntó—. ¿Mis orejas no son de verdad? ¿Seguro? Porque parecen de verdad".

Toqué sus orejas.

—Sí, Felipe. Pareces de verdad. Pero eres de tela.

Felipe Juan Bob siguió tocándose las orejas y tuve que apartarle la pata.

Después de eso, le hablé muy bajito. Y le conté los cinco secretos.

Primero, le conté el secreto de los monstruos y de las brujas.

Luego le conté los secretos de las calabazas y los murciélagos y los gatos.

Y por último, le conté el secreto de que los caramelos de fresa no tienen realmente fresas.

Al oír eso, abrió mucho la boca.

"¡No! No puede ser. Los caramelos de fresa tienen que tener fresas. Por eso se llaman de fresa. Además tienen el color de las fresas. Y si no tienen fresas, ¿qué otra fruta tienen?"

Levanté los hombros.

—No lo sé, Felipito —dije—. No creo que sean de plátano. Porque los plátanos son amarillos y un poco negros.

"Claro —dijo Felipe—. Y tampoco pueden ser de peras. Porque las peras son verdes y blancas por dentro".

Pensamos y *requetepensamos*.

—A lo mejor Paulie Allen Puffer se equivocó —dije.

"Sí. Seguro que se equivocó —dijo Felipe—. Porque los caramelos de fresa tienen que tener fresas".

Yo asentí.

—Pero las otras historias son de verdad. Porque ¿para qué se va a poner un monstruo un disfraz si ya parece que lleva uno puesto?

"Es verdad —dijo Felipe—. Y lo de los dientes afilados y puntiagudos tiene sentido. Porque ¿para qué sirven los dientes afilados y puntiagudos si no es para comer pies?"

—Exacto —dije—. Y ya sabes que lo de los murciélagos y los gatos es verdad. Porque ¿qué murciélago no querría vivir en el pelo de la abuela?

"Y está claro que los gatos de las brujas te pueden despedazar en tiras —dijo él—. A lo mejor este año no deberías salir a pedir caramelos el día de Halloween, Junie B., a lo mejor deberías

25

quedarte aquí conmigo… sana y salva…
en tu propia casita".

Lo abracé con fuerza.

Ese elefante sí que es un buen
amigo.

3

■ ■ ■ ■ ■ ■ ■ ■ ■ ■

Chorritos

Yo y Felipe Juan Bob dormimos una siesta de verdad.

Pero fue por accidente.

Porque los dos ya somos muy mayores para siestas.

Solo que a veces, de repente, tienes ganas de una siesta.

Cuando nos despertamos, mamá vino a mi cuarto. Y me besó en la mejilla.

Yo bostecé y la saludé con la mano.

Mamá me revolvió el pelo.

—Sé que todavía estás medio dormida, mi amor, pero tenemos que ir ahora a comprar el disfraz de Halloween —dijo—. La abuela se va a quedar con Ollie.

Mi barriga dio una vuelta al oír esas noticias.

Tenía que librarme de esta. No me quedaba otro remedio.

—Ya, solo que en realidad ahora no me apetece ir por mi disfraz de Halloween —dije lloriqueando—. Y además, ni siquiera sé de qué quiero disfrazarme.

Después de eso, me tapé la cabeza con las sábanas.

—Déjame que lo piense y te digo mañana —dije.

Mamá se rió.

Entonces me destapó.

—Lo siento, Junie B., pero no podemos esperar hasta mañana —dijo—. Porque mañana es Halloween.

Después me sacó de la cama. Y me puso de pie en el piso.

—Seguro que cuando lleguemos a la tienda, habrá un montón de disfraces y podrás elegir uno —dijo—. Ahora, por favor, ponte los zapatos mientras yo me pongo el abrigo.

Cuando se fue, agarré a Felipe Juan Bob muy asustada.

—Va a obligarme, Felipe. Mamá va a obligarme a ir a buscar caramelos mañana por la noche. ¡Y eso quiere decir que veré monstruos y brujas de verdad! Y seguramente volveré a casa con un murciélago en el pelo.

Corrí por todo mi cuarto muy preo-
cupada.

Felipe me observó.

"¿Por qué no se lo cuentas, Junie B.?
—preguntó—. Si le cuentas a tu mamá
los cinco secretos que dan miedo, no
te obligará a pedir caramelos. Te lo
aseguro".

Moví la cabeza.

—Pero es que no puedo, Felipe
—dije—. No puedo contarle a nadie
los cinco secretos porque mi cabeza
se convertiría en una verruga. ¿Te
acuerdas?

Puse cara de asco.

—Y tener cara de verruga debe de
ser horrible.

Felipe siguió pensando.

"Muy bien, entonces inventa otra

excusa para no ir —dijo—. Dile a tu mamá que te da miedo la oscuridad".

Mis ojos dieron una vuelta y miraron al techo.

—Pero es que no me da miedo la oscuridad, Felipe. Normalmente no le tengo miedo a nada.

Me detuve un instante.

—Menos a los gallos con picos afilados, claro —dije—. Pero eso es normal.

Me froté la barbilla.

—Y además, tampoco me gustan los ponis que dan patadas hasta matarte —dije.

"Y los payasos —dijo Felipe—. También te dan miedo los payasos".

Lo miré un poco enojada.

—Sí, Felipito. Pero a todo el mundo

le dan miedo los payasos —dije—. Hasta a la abuela Miller.

Lo volví a pensar.

—¿Te acuerdas cuando fuimos todos al circo? ¿Y cuando aquel payaso malo persiguió a la abuela por las gradas con una botella de gaseosa?

Felipe asintió.

"Sí. El payaso Chorritos —dijo—. Hizo que la abuela se pusiera un sombrero espantoso de globos. ¿Te acuerdas?"

—Claro que me acuerdo —dije—. Todavía tengo pesadillas con ese payaso. Seguro que los monstruos y las brujas saldrían corriendo si vieran a Chorritos.

"Seguro que sí —dijo Felipe—. Chorritos haría que se hicieran pipí en los pantalones".

Suspiré.

—Qué suerte tiene Chorritos —dije—. El payaso Chorritos seguro que no le tiene miedo a nada.

Justo entonces, oí la voz de mamá gritando desde el pasillo.

—JUNIE B., ¿ESTÁS LISTA? DATE PRISA. ¡NOS TENEMOS QUE IR!

Yo y Felipe nos miramos aterrorizados.

Entonces, ¡bingo!

¡Sucedió un milagro!

¡Y es que me vino a la cabeza una idea *requetegenial*!

Salí disparada como una bala.

—¡Oye! ¡Espera un momento! ¡Ya sé lo que voy a hacer, Felipe! ¡Ya sé lo que quiero ser para Halloween!

Empecé a bailar muy feliz.

—¡Voy a ser Chorritos! —dije—. ¡Puedo ser el payaso Chorritos! ¡Y así le podré disparar a los monstruos y a las brujas con mi botella de gaseosa! ¡Y seguro que saldrán corriendo!

Agarré a Felipe Juan Bob. Y empezamos a dar vueltas.

—¡CHORRITOS! ¡CHORRITOS! ¡CHORRITOS! —cantamos muy contentos.

Mamá oyó el alboroto. Y entró corriendo en mi cuarto.

—¡Pero bueno! ¿Qué pasa aquí? —preguntó.

Salí corriendo y la abracé por las piernas.

—¡Voy a ser Chorritos! ¡Eso es lo que pasa! —grité.

Mamá se quedó pensando durante un buen rato.

Entonces, de repente, puso una cara rara.

—Ay, cariño, no te refieres a…

Chorritos... aquel payaso del circo, ¿verdad? —preguntó.

Cerró los ojos.

—¿No hablarás de ese payaso horrible que persiguió a la abuela por todas las gradas con una botella de gaseosa?

Yo reí y aplaudí y reí y aplaudí.

—¡Sí, mamá! ¡Sí, sí, sí! ¡Ese payaso *xactamente*!

Mamá movió la cabeza.

—Pero... eso no tiene sentido, Junie B. Chorritos te daba pavor. ¿Por qué quieres ser un payaso tan horrible el día de Halloween?

—¡Porque sí! —dije—. Porque no te lo puedo decir, ¡por eso! ¡Pero de verdad de la buena que quiero ser Chorritos!

Después de eso, me puse mis zapatos superrápido.

Y agarré mi chaqueta.

Y corrí al auto.

Y toqué la bocina para que viniera mamá.

Porque cuando eres un payaso malo con una botella de gaseosa, ¡salir a pedir caramelos en Halloween no da miedo!

Así que… JA JA a los monstruos.

¡Y JA JA a las brujas y los murciélagos y los gatos!

¡Y JA JA al horrible Halloween!

4

La tienda de Halloween

La tienda de Halloween estaba en el centro comercial.

Arrastré a mi mamá hasta allí.

Pero peor para mí.

Porque en cuanto vi la tienda, puse los frenos rápidamente. Porque las cosas que había en el escaparate me daban mucho miedo. ¡Ni te lo imaginas!

El escaparate estaba lleno de esqueletos y demonios. ¡Y además, había cabezas de monstruos horrorosas por todas partes!

Cerré los ojos muy fuerte. Y tragué con fuerza.

Porque los monstruos peludos horrorosos hacen que se te escape la valentía.

—Bueno, parece que hay un cambio

de planes —dije—. Creo que me voy a casa ahora mismo.

Entonces intenté arrastrar a mamá hacia el lado contrario. Pero se resistió.

—Ya sé que esas caretas dan un poco de miedo —dijo—. Pero son de goma y no te pueden hacer nada, Junie B.

Sonrió.

—Esas caretas las hacen con la misma goma del patito de Ollie. Y a ti no te da miedo el patito de goma de Ollie, ¿verdad?

—El patito de goma no tiene una espada que le atraviesa la cabeza —dije.

Mamá no me escuchó.

Me metió en la tienda. Y fuimos al pasillo de los disfraces de niñas.

Miré por todas las estanterías.

No tenían nada emocionante. Te lo aseguro.

Tenían a la Caperucita Roja, a la Pastorcita, a la Cenicienta, a la huérfana esa que se llama Annie y a la Sirenita. Y también tenían a Blanca Nieves, pero el disfraz estaba tan sucio que de blanco tenía poco.

La cara de mamá se iluminó.

—Ay, mira, Junie B. ¿No te encantan? —preguntó—. ¿No querrías ponerte uno de estos disfraces maravillosos para mañana?

Yo sonreí muy amable.

—No, gracias —dije.

Justo entonces, vino la dependienta.

Me acerqué y le di un golpecito.

—¿Dónde tienen los disfraces de Chorritos? —pregunté.

La señora me miró con cara de curiosidad. Después miró a mamá.

—¿Los disfraces de qué?

Mamá cerró los ojos durante un segundo.

—Está buscando un disfraz de payaso —le explicó—. Como el del payaso Chorritos que moja a las señoras con gaseosa.

La señora nos miró con cara rara.

Entonces nos llevó a mí y a mamá a la sección de payasos. Y se fue.

Miré el pasillo de los payasos muy nerviosa.

¡Ay, no! ¡Había artículos para payasos colgando por todas partes!

Me escondí superrápido detrás de la falda de mamá.

Y luego me asomé, muy despacio.

Había narices redondas de payaso. Y pelo espantoso de payaso. Y guantes blancos y enormes de payaso. Y pantalones gigantes con tirantes.

Tuve que tomar aire con fuerza varias veces.

Por fin, salí de detrás de mamá. Y miré hasta el fondo del pasillo.

—Bueno, lo que pasa es que hay un problemita. Que no veo disfraces de Chorritos —dije.

Mamá me dio unas palmaditas.

—En fin, yo no esperaba que encontrásemos un disfraz igual que el de Chorritos —dijo—. Pero con todos estos accesorios, seguro que estarás mucho más linda que Chorritos.

Agarró una peluca de un estante y me la puso en la cabeza.

—Mira, ¿qué te parece este pelo rojo tan divertido? —dijo.

Me lo quité muy rápido.

—¡No, mamá, no! —dije—. ¡No quiero tener el pelo rojo! ¡Quiero ser Chorritos!

Pegué un pisotón.

—¡Chorritos! ¡Chorritos! —dije—. ¡Tengo que ser Chorritos!

—¡Shh! Pero Junie, ¿qué mosca te ha picado? —dijo muy impaciente.

Justo entonces pasó un niño por ahí. Y vio cómo me regañaban.

Le pedí a mamá que bajara un poco el tono de voz.

Creo que nunca más le volveré a decir eso.

Puso una cara furiosa. Le salía humo

por las orejas y empezó a hablar entre dientes.

—¡Hasta aquí hemos llegado, señorita! —dijo—. ¡Ni una grosería más! ¿Lo entiendes?

Me balanceé hacia delante y hacia atrás.

Y luego tragué con fuerza.

—Está bien, pero eso va a complicar las cosas —dije en voz baja.

Mamá me miró durante un minuto. Entonces se tapó la mano con la boca.

Creo que se estaba riendo.

Después de eso, su voz se hizo más amable.

—Junie B., me tienes que hacer caso con esto de los disfraces —dijo—. No... hay... disfraces... de... Chorritos..., ¿lo entiendes? Nadie fabrica disfraces de

Chorritos. Porque Chorritos ni siquiera es un payaso famoso.

Yo me quedé de piedra al oír esas noticias.

—Pero... pero ¿cómo no va a ser famoso, mamá? —dije—. Conozco a ese payaso como la palma de mi mano.

Mamá asintió.

—Sí, me temo que Chorritos nos dejó una gran huella a todos. Y no tengo ni idea de por qué ahora quieres disfrazarte de un payaso tan horrible —dijo—, pero si de verdad quieres ser Chorritos, lo único que podemos hacer es buscar un disfraz parecido.

Mis hombros se quedaron abajo, muy tristes.

Porque parecido no significa exacto.

Mamá miró el reloj.

—Tú decides, Junie B. O compramos un disfraz parecido al de Chorritos... o uno de Caperucita Roja.

Yo suspiré muy triste.

Entonces caminé por el pasillo muy desilusionada.

Y busqué una botella de gaseosa parecida a la de Chorritos.

5

■ ■ ■ ■ ■ ■ ■ ■ ■ ■

Nada de Chorritos

Querido pedazo de papel en
el que estoy escribiendo desde mi
cuarto.

   Hoy es Halloween.

   ¿Y sabes qué?

   ¡Que NADA de gaseosa! ¡COMO
LO OYES!

   ¡Porque mamá ha dicho que no
me deja ~~echarle~~ echarle chorritos a la
gente!

¿Y ahora cómo voy a asustar a los monstruos y a las brujas? ¡Eso es lo que yo quiero saber!

Además, mi pelo de payaso no es exactamente igual que el de Chorritos. Y además, tampoco pude encontrar una camisa como la de Chorritos.

Y ya no tengo fe en este disfraz.

De,

No exactamente Chorritos

P.D. Me gustaría ~~hecharle~~ echarle chorritos de gaseosa a mamá.

Dejé de escribir y miré el reloj.

Ya habíamos cenado.

Mamá estaba en el cuarto de Ollie.

Estaba poniéndole su disfraz de Halloween.

Salí de debajo de mis sábanas con Felipe Juan Bob. Y seguí preocupándome por mi disfraz.

—Todavía no sé por qué no puedo echarle chorritos de gaseosa a los monstruos —dije.

"Yo tampoco —dijo Felipe—. Porque si lo hicieras, se les caerían los pantalones del susto".

Justo entonces, oímos que llamaban a la puerta.

Yo no dije adelante. Pero mamá entró de todas formas.

Tiene esa mala costumbre.

Me asomé por debajo de las sábanas.

Mamá cargaba a Ollie. Estaba

disfrazado de vaca. Mi abuela Miller le hizo el disfraz para Halloween.

Mamá puso a Ollie en el piso.

—Muuu —dijo.

Yo le hice un gesto de que estaba loco.

—Vamos, Junie B. Vamos a salir —dijo mamá—. Como no está papá, se me ha hecho tarde. Tenemos que darnos prisa para disfrazarte. El abuelo y la abuela Miller van a venir a tomar fotos.

Después de eso, agarró mi bolsa con los trozos de payaso. Y puso todas las cosas encima de mi cama.

Había una nariz roja de payaso. Y una peluca de pelo rizado de payaso. Y unos pantalones enormes con tirantes de payaso gordo.

Además, había una corbata de pajarita gigante como la que llevaba Chorritos. Y unos guantes blancos grandes. Y una camisa con unos botones grandes de peluche.

Mamá me abrochó los botones de la camisa de payaso. Y me puso los pantalones de payaso encima de mis pantalones.

Después me puso los tirantes sobre los hombros. Y me ató la corbata de pajarita en el cuello. Y me puso los guantes.

Me miré en el espejo.

—Pero... es que no me parezco a Chorritos —dije—. Parezco la yo de siempre... pero con un gusto espantoso para la ropa.

Mamá sonrió.

—Es normal que todavía no parezcas un payaso —dijo—. No puedes parecer un payaso hasta que no te pongas el maquillaje.

Después de eso, me dio la vuelta y me dijo que cerrara los ojos. Y me puso maquillaje de payaso por toda la cara.

Cuando terminó, me plantó el pelo de payaso en la cabeza.

Y ¡catapún!

Me plantó la nariz roja. Y sonrió muy contenta.

—¡Tachán! —dijo—. ¡Ya eres un payaso!

Mi corazón empezó a dar saltos al oír esas palabras.

Me di la vuelta para volver a mirarme en el espejo.

¡Y yupi yupi yei!

¡Se me salieron los ojos de la cabeza!

¡Porque ahora sí me parecía a Chorritos! ¡Te lo aseguro!

Tragué saliva al verme.

Entonces me agaché *y intenté* tomar aire.

—¡Guau! —dije—. ¡Huy! ¡Guau!

Mamá se rió.

—Supongo que eso es un cumplido —dijo—. Tengo que admitir que te pareces a Chorritos mucho más de lo que yo creía.

Seguí respirando hasta que recuperé el aire.

Entonces, muy despacio, levanté la cabeza. Y me volví a mirar en el espejo.

Se me puso la carne de gallina en los brazos.

Me acerqué más e hice una mueca tenebrosa.

Me puse a temblar.

—Me doy miedo a mí misma —dije.

Justo entonces, sonó el timbre.

Creo que eran mi abuelo y mi abuela.

Mamá agarró a Ollie, la vaca. Y corrió a recibirlos.

Yo me quedé en mi cuarto para mirarme un poco más.

Me saludé con mi guante de payaso.

Entonces di marcha atrás un poco. Y *hice* como si me echara un chorrito de gaseosa a mí misma.

—¡Chorrito! —dije—. ¡Chorrito! ¡Chorrito! ¡Chorrito!

Me di media vuelta superrápido. Y mojé a mi muñeca de trapo Ann que se llama Ruth. Y a mi muñeco de trapo Andy que se llama Larry. Y a mi osito que se llama Osito.

—¡Chorrito! ¡Chorrito! ¡Chorrito! —dije otra vez.

Por fin, dejé mi botella imaginaria. Y me senté en el borde de la cama.

—Lástima —dije—, ojalá tuviera una botella de verdad para mojar a la gente. Porque si no consigo asustar a los monstruos con esta cara de payaso, ¿cómo los voy a asustar?

Paseé por todo mi cuarto muy *piensadora*.

Después, oí la voz de la abuela Miller en el pasillo.

Estaba riéndose del aspecto que tenía Ollie con su traje de vaca. Yo me moría de ganas de que me viera.

Y de repente, me vino una idea muy divertida a la cabeza.

Sonreí muy pícara al espejo.

Entonces, sin hacer ruido, salí de puntillas de mi cuarto. Y fui gateando por el pasillo con mis pies suaves de payaso.

Y entonces, ¡JA!

¡Salí disparada hacia la abuela de sopetón!

¡Y pegué un grito escalofriante!

—¡AAAHH! ¡AAAHH! ¡AAAHH! —grité—. ¡AAAHH! ¡AAAHH! ¡AAAHH!

¡La abuela pegó un salto que casi toca el techo!

¡Mamá también saltó!

Yo me reí y me reí al verlas.

Y salí corriendo detrás de ellas. Y seguí gritando.

—¡AAAAHH! ¡AAAAHH! ¡SOY EL PAYASO GRITÓN! ¡SOY EL PAYASO GRITÓN!

Justo entonces, entró el abuelo Miller por la puerta.

Salí *escopeteada* hasta él. Y lo embestí en la barriga con mi cabeza de payaso.

Y de repente ¡ZAS!

Mamá me agarró por mis pantalones de payaso.

—¡Pero bueno, Junie B.! ¡Basta ya! —gritó.

Dejé de gritar. Y le di unos golpecitos muy amable.

—Muy bien, pero en realidad no soy Junie B. —expliqué—. Soy el payaso gritón.

Me quedé ahí un segundo.

¡Entonces se me iluminó la cara!

—¡Oye! ¡Espera un momento! ¡Ese nombre está fenomenal para mí, mamá!

Empecé a aplaudir emocionada.

—¡Si no puedo ser Chorritos, seré Grititos! —dije—. ¡Seré el payaso Grititos!

Después de eso, salí corriendo por mi bolsa de Halloween. Y me reí más.

Porque el payaso Grititos puede hacer que a la gente se le caigan los pantalones del susto. ¡Ya verás!

¡Y sin gaseosa!

6

Golosinas o manzanas

Mamá puso a Ollie en su carrito. Y nos llevó a pedir caramelos.

Intentó darme la mano. Pero la aparté enseguida.

—Es que ya no soy una bebita miedosa —dije—. Soy el payaso Grititos.

Después de eso, aceleré la marcha. Y pasé muy rápido delante de esos dos.

La primera casa de vecinos es donde vive la gruñona de la Sra. Morty.

La gruñona Sra. Morty vive sola con el gruñón Sr. Morty.

Su jardín está lleno de decoraciones. Pero no te vayas a llevar por accidente uno de esos duendes. Porque la gruñona Sra. Morty te amenazará con llamar a la policía.

Subí los escalones de su porche corriendo.

Allí arriba ya estaba un niño de los que piden caramelos.

Llevaba unas botas de pescar y una caña de pescar.

Lo saludé con mis guantes de payaso.

—Hola. ¿Cómo estás? Soy el payaso Grititos —dije—. Y puedo hacer que a la gente se le caigan los pantalones del susto.

El niño me miró con cara de desprecio. No dijo ni una palabra.

Tiré de su caña de pescar muy educada.

—¿De qué vas disfrazado? —dije.

El niño se mordió las mejillas.

—Soy un pescador, payasa —dijo.

Por lo visto, los pescadores son unos antipáticos.

Entonces decidí asustarlo para que se le cayeran los pantalones.

Hice una mueca siniestra de payaso.

Y me puse de puntillas muy estirada.

Y le grité en toda la cara.

—¡AAAAHH! ¡AAAAHH! ¡AAAAHH!

Justo entonces, la gruñona Sra. Morty abrió la puerta. Y se tapó las orejas.

—¡JUNIE B. JONES! ¡POR FAVOR! ¡DEJA DE HACER TANTO RUIDO!

Dejé de gritar.

—Lo que pasa es que no soy Junie B. Jones —le expliqué—. Soy el payaso Grititos. Y el payaso Grititos puede asustar a la gente hasta que se le caigan los pantalones del susto.

El niño pescador volvió a poner cara de desprecio.

—Yo ni siquiera conozco a ese payaso —dijo.

—Dame golosinas, querida vecina —canté muy simpática.

La gruñona Sra. Morty sacó un cuenco muy grande. Y nos dio una manzana a cada uno.

Yo me quedé mirando la cosa esa.

—En fin, mire, este es el problema, Sra. Morty. En mi casa ya tengo manzanas —dije.

Arrugé la frente.

—Y no le dije dame manzanas, querida vecina —dije.

El niño pescador se rió muy fuerte.

Entonces se acercó a mí.

Y me metió la manzana por los pantalones de payaso. Y salió corriendo.

Me quedé ahí, de piedra.

—Lo que pasa es que esto no se puede tolerar —masculló para mí.

Justo entonces, mamá subió las escaleras con Ollie, la vaca.

La cara de la Sra. Morty se puso más amable. Acarició la cabeza de vaca de Ollie. Y le dio un bizcocho.

Yo miré a la mujer esa con curiosidad.

—Este… lo que pasa es que yo ni siquiera sabía que tenía bizcochos —dije—. Así que me gustaría cambiar estas manzanas por uno.

Metí la mano en mi bolsa y en los pantalones de payaso. *Y intenté* devolver las manzanas.

Pero la gruñona Sra. Morty puso cara de gruñona.

—Solo hice bizcochos para los más chiquitos —dijo.

Después de eso, volvió a acariciar a Ollie. Y cerró la puerta.

Mamá me observó.

—Pues sí que empezamos bien. Es la

primera casa y ya tienes una manzana en los pantalones —dijo.

Suspiró con fuerza.

—Lástima que no le agradecieras las manzanas, Junie B.

Pensé durante un segundo.

—Pero es que no estoy agradecida por las manzanas —dije.

Mamá miró hacia el cielo.

—No importa —dijo—. Cuando alguien te regala algo, siempre, siempre, siempre hay que dar las gracias.

Me rasqué la cabeza ante esas noticias tan interesantes.

—¿De verdad? ¿En serio? —pregunté.

Por lo visto, agradecer puede ser toda una mentira.

¿Quién lo habría dicho?

7

Cenicienta la tonta

Después de la casa de la gruñona Sra. Morty, fuimos a otras casas.

Me dieron pasas. Y un lápiz. Y una caja de cereal.

Le di las gracias a toda esa gente.

—Este es el día más mentiroso de toda mi vida —le dije a mamá.

Al final de la cuadra, doblamos la esquina.

¡Y yupi yupi yei!

¡Vi a dos niñas que buscaban caramelos y que venían hacia mí!

¡Eran Cenicienta y su Hada Madrina!

¡No me pude resistir! ¡Te lo aseguro!

¡Puse las manos como si fueran garras! ¡Y levanté los brazos en el aire!

Entonces salí disparada como una bala hacia las niñas.

—¡AAAAHH! ¡AAAAHH! —grité—. ¡SOY EL PAYASO GRITITOS! ¡SOY EL PAYASO GRITITOS!

Se pararon superrápido y abrieron mucho los ojos.

Corrí alrededor de ellas dando mucho miedo.

—¡AAAHH! ¡AAAHH! ¡AAAHH! —grité.

Al final me mareé. Y paré para tomar aire.

Al respirar, puse una cara siniestra de payaso.

—¡GRR! —dije—. ¡GRR! ¡GRR!

Cenicienta miró al Hada Madrina.

—¿Los payasos dicen grr? —dijo.

El Hada Madrina levantó los hombros.

—¿Cómo dijo que se llamaba?

Cenicienta pensó durante un segundo.

—Ricitos —dijo—. Creo que se llama el payaso Ricitos.

Yo pegué un pisotón.

—¡Grititos! —grité—. Soy el payaso Grititos. ¡Y las puedo asustar hasta que se les caigan los pantalones del susto! ¡Aunque no lleven pantalones!

Entonces volví a enseñar las garras. Y salté dando mucho miedo.

—¡BUU! —grité—. ¡BUU! y más que ¡BUU!

Se miraron una a la otra y volvieron a encoger los hombros.

Cenicienta volvió a caminar.

—Perdona, Ricitos, pero no das nada de miedo —dijo.

El Hada Madrina asintió.

—Estás haciendo el ridículo, amiga —dijo.

Entonces me tocó en la cabeza con su varita mágica. Y siguió caminando.

Yo me quedé ahí muy triste.

Muy pronto llegaron Ollie y mamá.

Mamá dijo que me portaba como una lunática. Y que tenía que quedarme con ella y con Ollie.

Entonces me agarró de mis tirantes para que no pudiera salir corriendo.

Mis hombros se quedaron de lo más tristes.

—¿Para qué voy a salir corriendo? —dije—. No asusto ni a una mosca.

Miré hacia mis pantalones de payaso gordo.

—Estoy haciendo el payaso con este disfraz —dije muy avergonzada.

Ya no me sentía nada valiente.

Por fin, mamá soltó los tirantes y me tomó de la mano.

Caminé muy despacio y nerviosa. Y busqué monstruos en la oscuridad.

También di manotazos en el aire. Para que los murciélagos no se pusieran en mi peluca.

Mamá siguió tirando de mí.

—Vamos, Junie B., mueve los pies —dijo.

Justo entonces, oí voces detrás de mí.

Me di la vuelta superrápido.

Y ¡OH, NO! ¡OH, NO!

¡ERA UNA BRUJA! ¡En la acera, detrás de mí, había una bruja! ¡Y además iba caminando con un esqueleto!

Me solté de la mano de mamá. ¡Y me lancé hacia un arbusto!

—¡SÁLVENSE! ¡SÁLVESE QUIEN PUEDA! —grité.

—¡Junie B., vuelve! —gritó mi mamá.

Mi corazón daba saltos como loco. Pero no volví.

Me encogí mucho, como si fuera una pelotita. Y me asomé entre las ramas del arbusto.

La bruja llevaba un sombrero negro puntiagudo. Y un vestido de bruja largo y negro.

Pasó por la acera al lado de mamá.

—Hola —dijo mamá.

—¡MUU! —dijo Ollie.

La bruja se rió de él.

—Creo que quiere décir buu —le dijo al esqueleto.

Entonces los dos se rieron muchísimo.

Y siguieron caminando.

Me tumbé boca arriba muy aliviada.

—Puf —dije—. Eso estuvo cerca.

Entonces me quité el sudor de mi cabeza nerviosa. Y *intenté* calmarme.

Pero peor para mí.

Porque de repente, mamá vino corriendo hasta el arbusto.

Y me volvió a agarrar por los tirantes.

Y esta vez… no me soltó.

8

Golosinas

Querido papelito de caramelo en el que estoy escribiendo con mi lápiz nuevo:

La noche de halloween fue muy larga.

Después de la bruja, vimos dos monstruos y tres brujas más.

Parece
~~Parese~~ ser que las brujas comen muchas golosinas.

Me escondí detrás de mamá hasta que se fueron.

Ollie les dijo muuu.

Las vacas son más valientes de lo que parecen.

De,

Junie B. Jones

Cuando terminé de escribir, me quité mi nariz de payaso. Y respiré aire puro.

—Me alegro de que esta noche haya terminado —dije muy aliviada.

Justo entonces, el abuelo Miller entró en mi cuarto para decir adiós.

Él y la abuela iban a ir al aeropuerto a recoger a mi papá.

Solo que hay malas noticias. Porque papá no llegaría a casa antes de que yo me durmiera. Y no lo podría ver hasta la mañana.

Abracé al abuelo muy fuerte. Y le di

mi cajita de cereal para que se la comiera por el camino.

El abuelo Miller come cualquier cosa.

Mamá estaba bañando a Ollie.

Lancé mi bolsa de caramelos a la cama. Y puse a mis animales de peluche en fila para que la vieran.

"Fíjate —dijo mi muñeco de trapo Andy que se llama Larry. Tienes *tropecientasmil* golosinas, casi".

"Sí —dijo mi muñeca de trapo Ann que se llama Ruth. Es una pena que haya manzanas y pasas. Pero el resto tiene buena pinta".

—Ya sé —dije—. Mamá nos llevó a Ollie y a mí por cuatro calles enteras. Daba mucho miedo. Pero conseguí una buena mercancía.

Felipe me miró sorprendido.

"¿Te daba miedo? ¿Por qué te daba

miedo? —preguntó—. Pensé que eras Grititos".

Suspiré muy cansada.

—Sí, pero a nadie le daba miedo Grititos —dije—. Ni siquiera al pescador ni a la tonta de Cenicienta o a la loca de su Hada Madrina.

Después de eso, todos mis muñecos de peluche se subieron en mi regazo. Y nos abrazamos.

"No te preocupes —dijo Felipe—. El año que viene serás una vaca".

—Sí —dije—. El año que viene seré una vaca.

Luego conté mis golosinas.

Felipe se quedó de piedra.

"¿Cacahuates? —dijo—. ¿Esos son cacahuates?"

Yo abrí los cacahuates. Y puse uno en la trompa de Felipe.

Pero se cayó.

"Demonios", dijo Felipe.

Entonces lo llevé hasta mi escritorio. Y le pegué el cacahuate con cinta adhesiva.

"Ummm —dijo—. Delicioso".

Después de eso, le di un cacahuate a Larry y a Ruth y a Osito. Y me comí el resto. También me comí un gusano de gominola. Y masqué un paquete entero de chicle sin azúcar.

Al cabo de un rato, mamá me llamó desde el cuarto de Ollie.

—Junie B. ¿te has lavado la cara y te has quitado el disfraz? Es muy tarde, mi amor. Tienes que meterte en la cama.

Cerré la puerta sin hacer ruido. Porque tenía demasiado sueño para lavarme la cara.

Me quité mis pantalones de payaso. Y me metí debajo de las sábanas.

—¡Ya estoy en la cama, mamá! —grité.

Bostecé con mucho sueño.

—Me voy a dormir ahora, ¿está bien? ¡Te veo por la mañana!

Entonces apagué la luz. Y me tapé la cabeza con las sábanas para que mamá no viera que no me había lavado la cara.

Tenía los ojos muy pesados y gordos.
Bostecé otra vez.
Y me quedé dormida.
Y soñé que era una vaca.

9
■ ■ ■ ■ ■ ■ ■ ■ ■ ■

¡Bienvenido a casa!

En mitad de mi sueño, pensé que había oído la puerta que se abría.

Abrí mis ojos medio dormidos un poquito.

—¿Junie B.? —susurró una voz.

Mi cuarto estaba muy oscuro.

Me di la vuelta para ver quién estaba hablando.

Y de repente, la voz gritó muy fuerte.

—¡AAAAHH!

¡Me senté de un salto!

Mi corazón daba unos saltos enormes.

¡Había alguien al lado de mi cama!

Entrecerré los ojos para ver quién era.

¿Y sabes qué?

¡Que creo que era mi papá!

¡Estaba ahí en medio de la oscuridad!

¡Y se tapaba la boca con la mano!

Estaba mirando mi cara siniestra de payaso.

—¿Papá? —susurré—. ¿Eres tú?

—¿Junie B.? ¿Eres tú? —susurró papá.

Encendió la luz.

—¡Ay, Dios mío! —dijo—. No me extraña que me asustaras. ¡Sigues con el maquillaje en la cara!

Justo entonces entró mamá corriendo en mi cuarto.

—Junie B. Jones, te dije que te lavaras la cara y te quitaras el maquillaje —dijo—. Pudiste haber matado a tu padre del susto.

Papá se tapaba el corazón con la mano.

—Perdona, papi. Perdona por haberte asustado —dije—. Perdón, perdón, perdón.

Después de eso me quedé quieta un segundo.

Y se me puso una sonrisita en la boca.

—Papi, ¿de verdad que te asusté? ¿De verdad? Dijiste que te asusté, ¿no? Te asusté de verdad de la buena, ¿a que sí?

Mamá me miró enojada.

—Por favor, Junie B. Nunca he visto a nadie tan contento por haber asustado a alguien. Eso no está bien.

Enseguida agarró un pañuelito para quitarme el maquillaje de payaso.

—Pues qué bien —dijo—. Con esto lo único que hago es embadurnarlo más.

Me reí al oír aquella palabra.

Entonces miré a papi por detrás de ella.

—¡Buu! ¡Soy Embadurnitos! —dije—. ¡Soy el payaso Embadurnitos!

Papá levantó las cejas.

—Este… supongo que sí —dijo.

Entonces se metió en mi cama y nos hicimos cosquillas.

Cuando terminamos, nos abrazamos muy, muy fuerte. Porque no sabes cuánto eché de menos al tipo ese.

Le enseñé a papá mis cosas de Halloween.

—Si no fuera por esas manzanas tontas y las pasas, ahora tendría un cien por ciento de golosinas —expliqué.

¡Y espera a oír esto!

¡Papá dijo que se comería mis pasas!

¡Y mamá dijo que se comería mis manzanas!

¡Así que ahora mis golosinas son cien por ciento perfectas!

Por último, mamá puso todas mis golosinas en la bolsa. Y me limpió la cara con una toalla húmeda.

Entonces ella y papi me arroparon en la cama. Y cerraron la puerta.

Solo que ahora viene la mejor parte.

Porque en cuanto se fue mamá, papá volvió a abrir la puerta. Y me dijo un secreto.

—Oye —dijo muy bajito—. Me asustaste tanto que casi se me caen los pantalones del susto, Junie B. Jones.

Yo me reí al oír ese piropo.

Entonces abracé a Felipe Juan Bob muy contenta.

Y sonreí hasta dormirme.

■ ■ ■ ■ ■ ■ ■ ■ ■ ■ ■

BARBARA PARK es una de las autoras más divertidas y famosas de estos tiempos. Sus novelas para secundaria, como *Skinnybones* (Huesos delgados), *The Kid in the Red Jacket* (El chico de la chaqueta roja), *My Mother Got Married (And Other Disasters)* (Mi madre se ha casado y otros desastres) y *Mick Harte Was Here* (Mick Harte estuvo aquí) han sido galardonadas con más de cuarenta premios literarios. Barbara tiene una licenciatura en educación de la universidad de Alabama. Tiene dos hijos y vive con su marido, Richard, en Arizona.

DENISE BRUNKUS ha ilustrado más de cincuenta libros. Vive en Nueva Jersey con su esposo y su hija.